Mathieu **LeBlanc** Philippe **Lagarde**

Conver sations avec Romy 2 + AKsel

LES ÉDITIONS DE LA
BAGNOLE

À Romy, Aksel, Charlie, Bilie-Rose, Alexia...

... et à nos conjointes Julie et Marie-Pier pour leur grande patience.

« Il n'y a pas de loi plus belle que d'obéir à son père. » — Sophocle

« Moi ce que j'aime le plus de toi papa, c'est quand maman dit non pis que toi tu dis oui après. » — Romy

Lorsque Julie était enceinte d'Aksel, je n'arrivais pas à m'imaginer pouvoir aimer un autre être humain autant que j'aimais ma fille Romy. J'étais profondément convaincu que c'était impossible, surtout pour moi qui suis de nature très « noir ou blanc ». J'étais terrifié. Jusqu'à ce qu'un ami trouve les mots pour m'apaiser : « Le cœur d'un père s'agrandit avec chaque enfant » (c'est de Jean Basile Bezroudnoff). Heureusement, il avait raison : comme tous les papas, j'ai découvert que c'était possible d'aimer un deuxième enfant autant que le premier. Une deuxième « poche d'amour » (comme je l'appelle) est apparue dans mon cœur à la naissance d'Aksel.

Romy, Aksel, merci de me donner la chance de m'arrêter parfois, le temps d'écrire une conversation et de réaliser à quel point ma vie serait dénuée de sens sans vous. Je vous ai déjà raconté, un soir avant le dodo, qu'avant de naître, vous m'avez choisi comme père… J'espère que vous ne regretterez pas votre choix !

Plus on vieillit, plus il est rare de rencontrer des gens avec qui ça clique immédiatement. Avec Philippe, ç'a été un vrai coup de foudre professionnel. Mais s'il m'avait dit, en 2011, que quatre ans plus tard on en serait à notre deuxième livre, à notre troisième collection de vêtements pour enfants et une association avec Leucan, j'aurais éclaté de rire. Merci, Philippe Lagarde, mon partenaire, mon ami : sans toi, rien de tout ça n'aurait eu lieu.

Mathieu LeBlanc

102.

À la suite de la parution du premier livre, Romy s'imagine qu'elle va être interviewée.

Romy: « Pis là, y'a des gens qui vont venir avec des micros
pour me demander si j'aime le ketchup ? »

103.

Romy: « Des fois, y'a des mots que je comprends pas ce que ça veut dire. »

Moi: « Comme quoi? »

Romy: « Comme "lavabo". C'est comme si ceux qui sont laids pouvaient pas se laver dedans... »

104.

Aksel: « Papa, est-ce que les feux d'artifice ça fait mal au ciel? »

105.

Romy: « Est-ce que les facteurs
aussi ils reçoivent
des lettres ? »

106.

L'année de maternelle tire à sa fin:

Moi: « As-tu hâte d'être en première année? »

Romy: « Non... J'ai plus hâte d'être à la retraite, comme mamie. »

107.

La théorie de l'évolution selon Romy :

Romy : « Tu sais, papa, qu'on était des singes avant ? »

Moi : « Ah oui ? »

Romy : « Pas toi pis moi, là. Mais mon grand-père, oui. »

108.

Après avoir chicané Romy parce qu'elle était désagréable avec lui,
j'explique à Aksel que « papa ne chicane pas pour rien,
qu'il essaie seulement d'être juste ».

Et Romy de répondre de sa chambre :

« Juste méchant ? »

109.

Romy : « Tu sais papa, moi, je sais écrire, mais je sais pas lire...
     Mais j'ai hâte d'apprendre à lire pour savoir qu'est-ce que j'écris ! »

110.

Une autre fin de journée où on est à boutte...

Moi : « Là, Romy, je suis tanné. Finis ta collation pis va te brosser les dents gentiment. »

Romy : « Heu... C'est comment, se brosser les dents méchamment ? »

111.

Je chicane Aksel, qui me regarde avec son air innocent.

Aksel : « J'entends les sons qui sortent de ta bouche, mais je comprends pas les mots. »

112.

Romy : « Papa, je vais te dire des phrases pour mettre sur la porte
de ma chambre et je veux que tu les écrives. »

(Et c'est une de ses bonnes journées.)

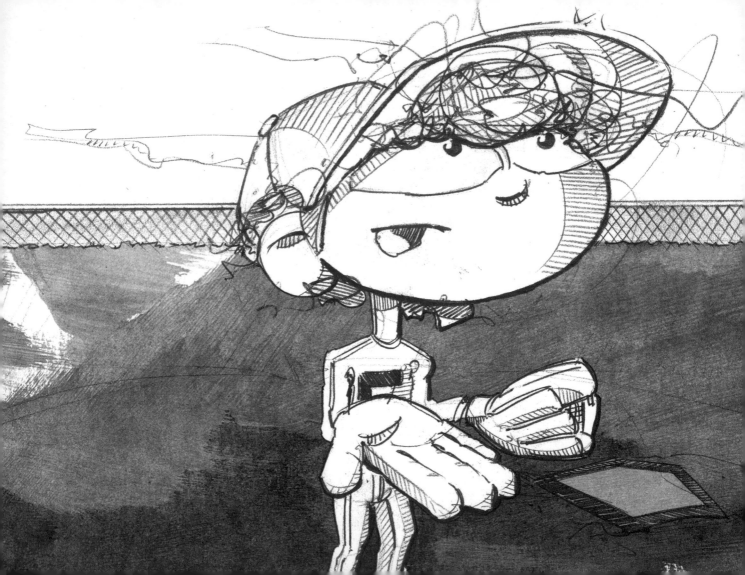

113.

Premier match de baseball à vie de mon garçon. L'entraîneur lui demande de quelle main il lance.

Aksel: « Ben, de la mienne! »

114.

Deuxième jour au chalet. On déjeune sur le balcon.
Il y a beaucoup plus de moustiques que la veille.

Romy: « Ouin, ben on dirait qu'y a eu beaucoup d'accouchements,
cette nuit! »

115.

Romy : « Moi, je connais plus maman que toi parce que
j'ai été dans son ventre pis pas toi. »

Hummmm.... OK.

116.

Romy, à son frère: « Les vers de terre, ça goûte les chips. »

Moi: « Romy! Dis pas ça, c'est même pas vrai. »

Romy: « T'en as déjà goûté? »

Moi: « Yark! Non! »

Romy: « Ben comment tu le sais, alors, que ça goûte pas les chips? »

117.

Romy : « Moi, je pense que
les femmes qui disent
qu'elles se trouvent
grosses auraient juste
besoin de lunettes. »

118.

Romy : « Papa, tu sais qu'on a trois pouvoirs,
        nous les humains ? »

Moi : « Ah oui ? »

Romy : « Oui ! Le premier, c'est le pouvoir
        de choisir ce qu'on mange.
        Le deuxième, c'est le pouvoir
        de se mettre à l'envers.
        Pis le troisième, c'est le pouvoir
        d'être heureux. »

119.

On regarde sur YouTube la vidéo de la chanson
« Somewhere over the rainbow », la version du
chanteur hawaïen Israel Kamakawiwo'ole qui
jouait dans la salle d'accouchement lorsque
Romy est née.

Romy: « Des fois, même quand on trouve les gens gros ou pas beaux, ils ont quand même des belles qualités. Comme lui, y chante tellement bien que j'ai envie de pleurer. »

120.

On entre dans une église du Vieux-Québec pour
montrer aux enfants de quoi ç'a l'air. Romy,
très impressionnée, pointe du doigt un vitrail
et me demande si l'homme qu'on voit est Dieu.

Moi : « Non, lui, c'est Jésus, son fils. Dieu, on ne sait
         pas à quoi il ressemble, il n'a pas de visage. »

Romy : « Mais... si Dieu a pas de visage,
           comment il a fait pour avoir
           un enfant ? »

121.

Romy est triste. Elle a passé la fin de semaine avec
son amie Raphaëlle, qui vient de repartir chez elle.

Romy : « Papa, est-ce que ça existe, une machine à reculons ? »

122.

Après un avant-midi mouvementé où Aksel était insupportable et où j'ai dû élever la voix à plusieurs reprises, je dis à Romy la fameuse phrase :

« On va retourner ton petit frère au magasin. »

Romy : « Moi, papa, des fois, c'est toi que je retournerais au magasin ! »

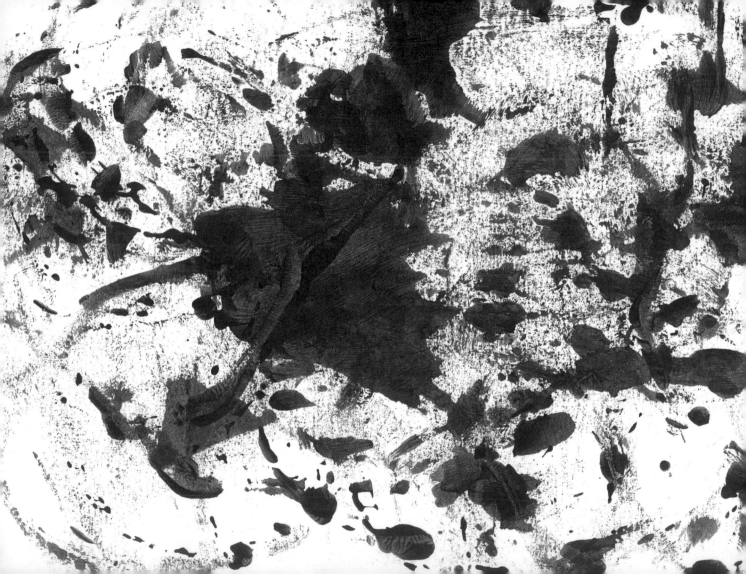

123.

Romy : « C'est peut-être méchant, mais j'aime ça quand
        Aksel a la gastro. Il est plus tranquille dans
        ce temps-là pis il me fatigue moins. »

124.

Après que la gastro a frappé tout le monde dans la famille sauf elle,
voici ce que déclare ma chère fille avec sa grande compassion :

        « Je suis vraiment vraiment contente que
        la gastro soit partie dans une autre famille ! »

125.

Romy a invité son ami Milan à la maison un dimanche de pluie.
Après quelques heures, ils ont fait pratiquement tout ce qu'il est possible
de faire dans une maison lorsqu'il pleut et qu'on a six ans.

Romy: « Tu veux regarder un autre film? »

Milan: « Non, ça me tente pas. »

Romy: « OK, mais tu veux faire quoi? »

Milan: « Je sais pas, propose-moi des choses. »

Romy: « Tu veux manger? »

Milan: « Mmm... Non. »

Romy: « Dessin? »

Milan: « Han?! Manger des seins?! »

126.

Romy : « Papa, je veux que tu me dises la vérité :
est-ce que t'es mon vrai père ? »

Euh... Juliiiiie ?!

127.

Romy: « Papa, as-tu déjà embrassé une autre fille que maman ? »

Moi: « Heu... oui. »

Romy: « C'était quoi son nom ? »

Moi: « Ben, y'en a eu plusieurs. »

Romy: « Ah... Ça veut dire que t'étais cute, avant ? »

128.

Toujours dans la même conversation :

Romy : « Pis c'est quelle fille que t'as le plus aimé embrasser ? »

Moi : « Ta mère. »

Romy : « Bonne réponse. »

129.

On regarde *Star Wars*.
Dans le film, la mère d'Anakin est une esclave.

Romy : « Papa, c'est quoi, des esclaves? »

Moi : « C'est des gens qui sont obligés de faire
      tout ce qu'on leur dit de faire. »

Romy : « Comme nous, tu veux dire! »

130.

Romy: « Je suis tannée d'Aksel, y partage jamais, c'est un impartageur! »

131.

Comme beaucoup de parents francophones, quand on ne veut pas
que les enfants comprennent ce qu'on se dit, on parle en anglais.

Julie : « On a rien pour le souper. Qu'est-ce qu'on fait ? »

Et moi de répondre comme un champion : « Do you want me to get sushis ? »

Romy : « Oui !!! Des sushis, des sushis, des sushis !!! »

Julie: « Wow... Pour de vrai? Sushi en anglais? »

132.

Julie: « Mathieu, pourrais-tu aller chercher ma pilule
         à la pharmacie s'il te plaît ? »

Romy: « Non ! Vas-y pas, papa, je veux que maman ait un autre bébé ! »

133.

Romy: « Maman, c'est vraiment cool que
         t'essaies des nouvelles recettes,
         mais peux-tu les essayer quand
         on est pas là ? »

134.

Aksel : « Pourquoi dans Yakari ils font pas cuire
des guimauves quand ils font des feux ? »

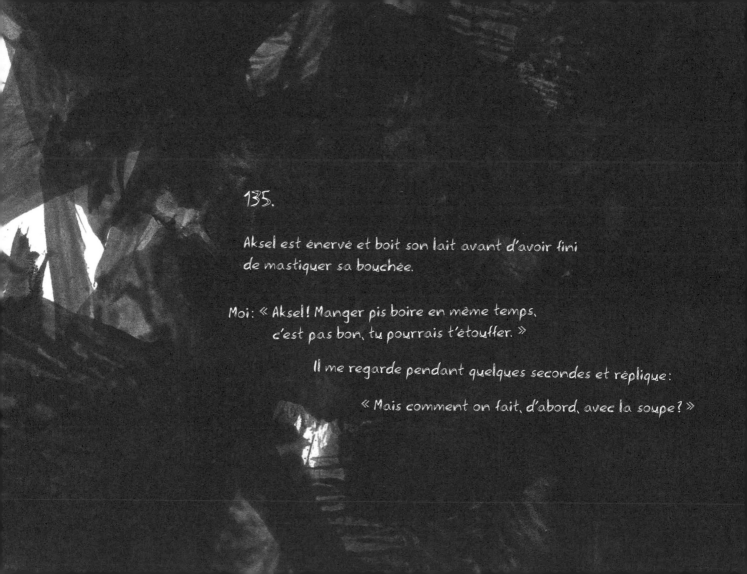

135.

Aksel est énervé et boit son lait avant d'avoir fini
de mastiquer sa bouchée.

Moi : « Aksel ! Manger pis boire en même temps,
c'est pas bon, tu pourrais t'étouffer. »

Il me regarde pendant quelques secondes et réplique :

« Mais comment on fait, d'abord, avec la soupe ? »

136.

Aksel : « Je vais dormir avec vous dans votre lit ce soir, hein, papa ? »

Moi : « Oui, mais je vais te coucher dans ta chambre en premier et je vais t'amener
dans notre lit plus tard, quand on va être prêts à dormir. Parce que maman
et moi on a plein de choses à faire dans la maison avant d'aller faire dodo. »

Aksel : « Nooooooon !!! Je veux que tu te couches tout de suite avec moi.
Maman va faire toutes les choses, comme d'habitude. »

137.

Dimanche après-midi, on va marcher sur le mont Royal.
Les enfants niaisent et je suis un peu impatient.

    Moi : « Marchez donc plus vite! »

Romy : « Euh, papa... au nombre de fois où vous avez marché dans votre vie,
      c'est sûr que vous avez plus de pratique. Nous, on la commence,
      notre vie! »

138.

Romy, revenant d'un party d'amis où il y avait plein d'enfants de tous âges:

« J'aurais tellement dû profiter de mes deux ans! »

139.

Aksel : « Inquiète-toi pas, papa : quand tu vas être vieux,
je vais te protéger. »

140.

Moi : « Ton poisson rouge est bizarre :
il tourne toujours en rond dans
son bocal ! »

Romy : « Voyons, papa ! C'est normal :
son bol est rond ! Si son bol était carré,
il tournerait en carré. Franchement... »

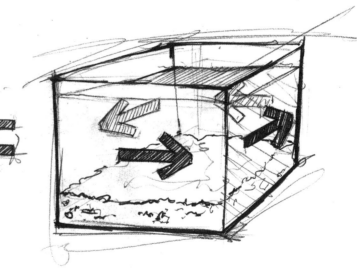

141.

Pour le septième anniversaire de Romy, mon ami
Carl lui explique qu'il ne savait pas quoi lui
acheter, alors il lui donne de l'argent.

Romy : « Ah, mais c'est correct,
j'aime ça, les vingt piasses ! »

142.

À la garderie, on apprend aux enfants à appeler
les éducatrices quand ils ont fini à la toilette pour
qu'elles aillent les essuyer. Aksel fait la même chose
à la maison, mais avec un peu plus de poésie :

« Maman, MA CHÉRIE, j'ai terminé mon caca ! »

143.

Romy : « Henri a la maladie de l'autiste. C'est comme
      une otite mais c'est pas dans les oreilles,
      c'est dans la tête. Pis c'est cool parce que
      quand il est content il bouge les bras super vite,
      fait qu'on le sait toujours quand il est content. »

144.

Romy fait semblant de donner le sein à sa poupée.
Après un certain temps, elle change de côté et dit :

« Bois, maintenant, du jus d'orange ! »

145.

Romy : « C'est drôle, hein ? Y'a des pauvres qui voudraient être comme nous,
pis nous on voudrait être comme les riches. »

La classe moyenne vue par ma fille...

146.

Julie et moi, on regarde un reportage du Téléjournal sur
les avortements discriminatoires en fonction du sexe du fœtus.

Romy, qui a tout entendu, panique:
« Ça veut dire que si on avait été chinois ou indiens
je serais pas née? »

147.

Aksel : « Papa, est-ce que aujourd'hui on est demain ? »

Moi : « Non. Aujourd'hui on peut jamais être demain... »

Romy : « Heu, excuse, mais aujourd'hui on est le demain de hier. »

Heu... c'est beau, Confucius.

148.

Aksel : « Est-ce que ça existe, papa, des chutes qui montent ? »

149.

On trie les jouets que les enfants n'utilisent plus.
Je mets dans la boîte « à donner »
le gant de baseball d'Aksel, devenu
trop petit pour lui.

Romy : « Non ! Donne-le pas, je vais le garder
pour mon garçon plus tard. »

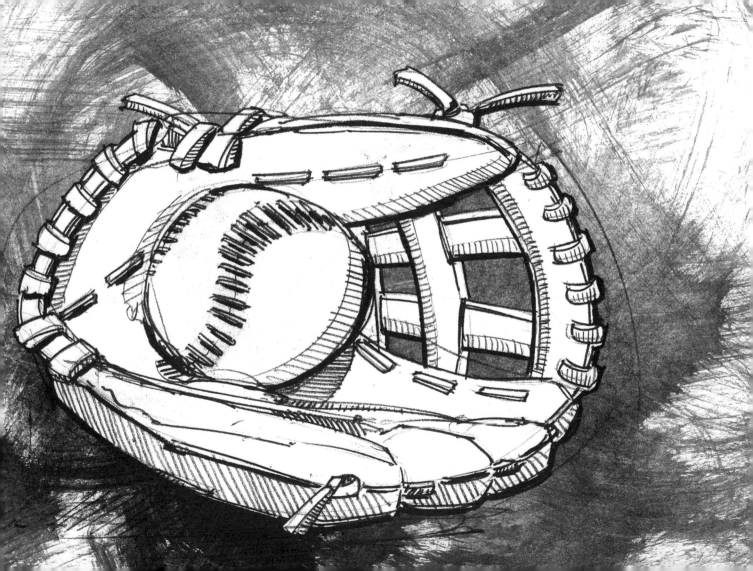

150.

Moi : « Tu sais, Aksel, quand tu es dans mes bras il peut rien t'arriver. »

Aksel : « Ça veut dire que quand je suis pas dans tes bras
je vais peut-être mourir ? »

151.

Aksel : « Maman ! Viens m'aider dans ma chambre ! »

Romy : « Aksel, y'a aussi un PAPA dans la maison, tu sais ! »

152.

Aksel insiste pour rester plus longtemps sous la douche.

Moi : « OK. Mais il faut que tu me promettes de fermer le robinet dans deux minutes. »

Aksel : « Oui papa, je te promets. Je te donne ma langue au chat. »

153.

Aksel arrive dans la cuisine pendant
que Julie prépare le souper.

Aksel : « Maman, peux-tu aller me chercher
un jeu en haut du garde-robe ? »

Julie : « Je peux pas, là, je suis en train de faire la lasagne. »

Aksel : « C'est pas grave, t'as juste à peser sur pause. »

154.

Aksel : « Papa... le jus d'orange,
       c'est fait avec quel animal ? »

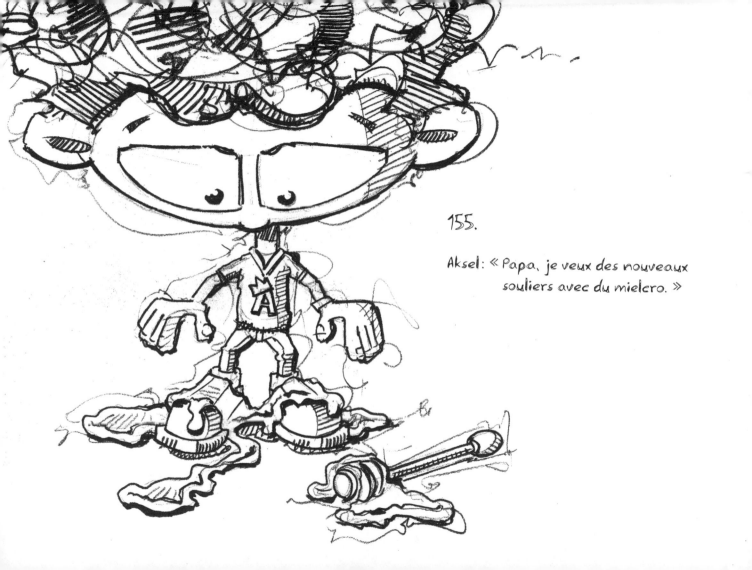

155.

Aksel: « Papa, je veux des nouveaux souliers avec du mielcro. »

156.

À son parrain Patlav qui est venu faire un tour à la maison,
voici ce que dit Aksel en se trouvant très cool :

« Viens donc te coller avec moi sur le divan pis prendre une 'tite bière. »

157.

Aksel: « Pourquoi les gars c'est des goalers pis les filles c'est des gardiennes de buts? »

158.

Romy: «Papa, tu sais qu'il y a des tueurs de rêves?»

Moi: «C'est quoi, ça?»

Romy: «C'est des adultes qui disent aux petits enfants genre:
"Le père Noël existe pas." Pis chaque fois qu'ils disent ça,
y'a un lutin qui meurt.»

159.

À table avec des amis, je raconte que, sur une bouteille d'eau vitaminée, j'ai lu qu'il était préférable de ne pas en consommer plus de trois par jour.

Et c'est censé être de l'eau!

Romy, qui suivait attentivement la conversation:

« Pourquoi ils écrivent pas ça aussi sur les bouteilles de bière? »

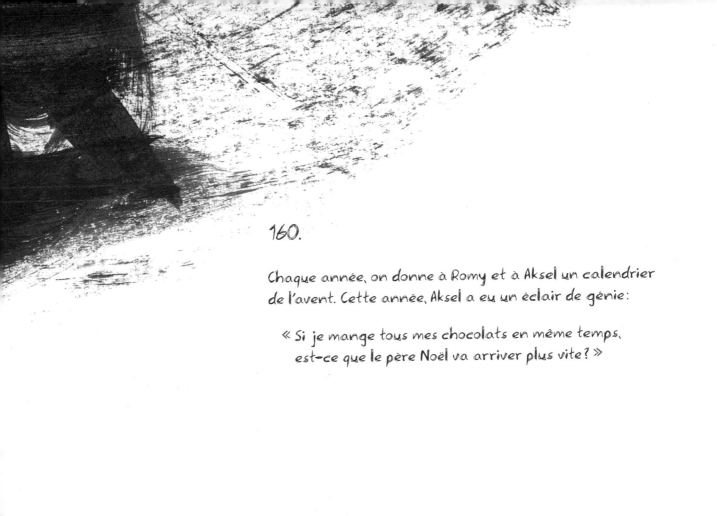

160.

Chaque année, on donne à Romy et à Aksel un calendrier de l'avent. Cette année, Aksel a eu un éclair de génie:

« Si je mange tous mes chocolats en même temps, est-ce que le père Noël va arriver plus vite ? »

161.

Aksel : « Y'a-tu beaucoup de voleurs qui volent dans les maisons à Noël, papa ?

Moi : « Je pense pas. Pourquoi ? »

Aksel : « Parce que moi, si j'étais un voleur, je me déguiserais en père Noël
pis je volerais plein de maisons avant que le vrai père Noël passe. »

C'est le fun de savoir que mon fils a de beaux projets de vie...

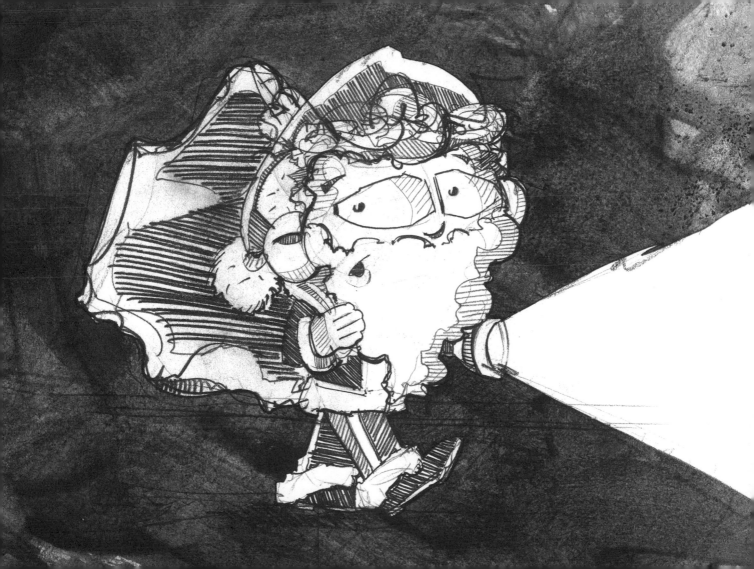

162.

File d'attente interminable au magasin pendant le Boxing Day.

Romy : « C'est tellement long que j'aurais le temps de créer une amitié ! »

163.

Aksel, assis tout seul sur son lit,
a l'air un peu déprimé.

Moi : « Qu'est-ce qu'il y a, mon gars ? »

Aksel : « Ça va être triste quand
tout le monde va avoir acheté tous
les jouets dans tous les magasins...
Y'en aura plus. »

164.

Romy, découragée:

« Quand j'ai une chanson dans ma tête pis que
je la chante, ça sonne pas pareil. C'est comme
quand je veux faire un dessin : dans ma tête, il est
parfait, mais quand je le dessine, il est vraiment
pas parfait. Ma tête est meilleure que moi! »

165.

Romy est dans sa chambre et dessine depuis un moment quand, tout à coup, elle arrive en courant dans la cuisine.

Romy : « Ça marche pas, je suis pas bonne ! »

Moi : « Comment ça ? »

Romy : « Je voulais dessiner mamie, mais je l'ai faite mince ! »

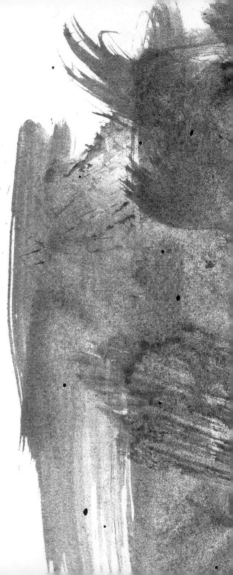

166.

Moi : « Tu sais, Romy, pour t'améliorer en dessin,
        tu pourrais prendre une image dans un livre
        ou sur l'ordinateur et la refaire. »

Romy : « Ouin, mais c'est pas vraiment correct,
parce que c'est comme copier, pis ça
travaille pas du tout mon imagination ! »

167.

Le matin de mes quarante ans, mon ami Alejandro m'appelle pour me souhaiter bonne fête. C'est Aksel qui répond en activant la fonction « main-libre » :

Alejandro : « Ton papa a maintenant quarante ans, c'est une vieille personne! »

Aksel : « Y'est déjà une vieille personne depuis longtemps! »

168.

Aksel, avec son air de j'ai-eu-un-éclair-de-génie :
« Papa, si tu te séparais de maman, tu vivrais plus longtemps ! »

Moi : « Hein ? Comment ça ? »

Aksel : « Ben parce que tu aurais une nouvelle femme pis
des nouveaux enfants, comme grand-papa ! »

169.

Moi : « T'es bien énervée, ce soir, Romy ! »

Romy : « Moi je pense que TU es fatigué et que TU me trouves énervante. »

170.

Aksel : « Papa, est-ce que tu pourrais déguiser mon crayon ? »

171.

Romy: « Papa, j'ai comme un problème de dépanneur... »

Moi: « De dépanneur? »

Romy: « Oui, je peux pas arrêter d'y penser. Même que ça
me picote. À chaque minute, je veux y aller pour
acheter des bonbons. »

172.

En sortant de chez le dentiste, les enfants comparent
les petits cadeaux qu'ils ont reçus.

Romy : « Wow, c'est vraiment pas juste : Aksel a reçu une boîte
        de Smarties pis une épée de samouraï, et moi j'ai juste
        eu un suçon pis une photo dans les dents ! »

173.

Romy : « Papa ? Est-ce que le O de fantôme ça prend un accent circoncis ? »

174.

Aksel : « Papa, tes yeux sont sales, sont tout noirs en dessous. »

Ça s'appelle des cernes.

175.

Aksel : « Je me tape sur les nerfs. »

On est deux à trouver ça ce matin...

176.

C'est l'heure du dodo. J'entre dans la chambre de Romy,
lui dis de fermer son livre et l'embrasse.

Romy : « Est-ce tu peux te coucher avec moi cinq minutes ? »

Moi : « Ce soir j'ai pas le temps, mon amour,
j'ai trop de choses à faire. »

Romy : « Tic tac tic tac tic tac tic

Moi : « C'est quoi ça, "tic tac" ? »

Romy : « C'est le temps qui passe pis un jour je vais être trop grande
pis je te demanderai plus de te coucher avec moi. »

Cric crac, mon cœur se brise.

actic Tactic tic

177.

Romy: « Toi, papa, c'est cool,
t'es comme une table. »

Moi: « Ah bon ? »

Romy: « Oui. Tu sers à tout: on peut manger sur toi,
dessiner sur toi pis se coucher sur toi! »

178.

J'explique aux enfants que s'ils veulent que le lapin de Pâques leur apporte des cocos cette nuit, ils doivent s'endormir très vite. Parce que le lapin ne passe pas si les enfants sont réveillés.

Ça fait quinze minutes qu'ils sont couchés lorsque Romy se relève et vient me voir dans le salon.

Romy: « Là papa, je veux bien m'endormir vite, mais si toi tu regardes la télé super tard comme d'habitude, le lapin de Pâques y passera pas pis ça va être de ta faute! »

179.

Aksel: « Papa, j'aimerais ça que t'arrêtes de dire "Est-ce que tu sais
que je t'aime?" Ça veut rien dire! Mais tu peux toujours
me dire "Je t'aime", par exemple. »

180.

Aksel, complètement outré: « J'avais PROMIS à maman
qu'elle m'achète une surprise! »

181.

Moi : « Romy, tu finiras tes dessins
        demain, là c'est le temps
        d'aller se coucher. »

Romy : « Ben là je comprends plus rien !
          Vous me dites tout le temps
          "Finis ce que tu commences..." »

182.

Un matin, Romy traîne à la table, songeuse.

Romy : « Si jamais maman elle a un autre enfant,
elle pourrait l'appeler Simone. »

Moi : « Euh... Si jamais ON a un autre enfant ! »

Romy : « HEU PAPA ! Toi tu fais rien là-dedans. C'est maman
qui est enceinte, c'est elle qui a mal au cœur,
c'est elle qui accouche pis c'est elle qui crie. »

183.

Je suis en train de repeindre la clôture de la cour.

Romy : « Est-ce que je peux peinturer avec toi, papa ? »

Moi : « Bien sûr ! Prends un pinceau dans la boîte. »

Romy : « Mais... faut-tu que je peinture comme Karaté Kid ? »

Ce sera pas nécessaire, Romy-San !

184.

Moi : « Qu'est-ce que je t'ai dit de faire si jamais un monsieur que tu connais pas te parle dans la rue ? »

Romy : « Je crie... ou je le massacre ! »

Hum... un peu too much peut-être ?

185.

Un soir où Romy et moi sommes seuls à la maison, on discute de plein de choses.

Moi : « Tu sais, mon amour, que j'aurais pas voulu une autre petite fille que toi... »

Romy : « Ouin... Mais c'est pas vraiment vrai, papa. »

Moi : « Comment ça ? »

Romy : « Ben, si ç'avait pas été moi que toi pis maman vous aviez eu, t'aurais dit la même chose à l'autre petite fille. »

186.

Aksel : « Papa, est-ce que les toiles d'araignées c'est du caca d'araignées qui s'allonge ? »

187.

En voiture avec Romy, arrêté à un feu rouge,
je suis des yeux une jolie fille à vélo.

Romy : « Qu'est ce que tu regardes ? »

Moi : « Rien... je pensais que je connaissais
la fille qui vient de passer. »

Romy : « Ouin... Fais attention, papa,
ton nez allonge. »

188.

Une vieille madame sur la rue demande
à Aksel quel âge il a.

Aksel : « J'ai quatre ans et deux quarts. »

189.

Nous sommes au chalet avec des amis et leurs enfants. Je prends la petite
Victoria (un an et demi) dans mes bras, et elle pose la tête sur mon épaule.
Sa mère, Jessica, me dit que c'est la première fois qu'elle fait ça avec
quelqu'un d'autre qu'elle et son chum.

Une heure ou deux plus tard...

Romy: « Papa... je voulais te dire que tantôt j'ai pas aimé ça que t'aies
une autre petite fille que moi dans tes bras. Ça m'a fait
tout bizarre dans mon cœur. »

190.

Après une discussion animée entre Julie et moi...

Romy : « Pourquoi maman est fâchée ? »

Moi : « Pour rien... On se parlait entre adultes. »

Romy : « L'autre jour, tu m'as dit qu'on pouvait tout se dire. »

Moi : « Oui, mais là c'est une discussion d'adultes. »

Romy : « OK. Ben moi, quand je vais crier après Aksel pis que tu vas me demander pourquoi, je vais te dire que c'est des discussions d'enfants ! »

191.

On passe devant des toilettes chimiques sur le site du Festival de jazz.

Aksel: « Tu trouves-tu que ça sent les Pop Sicles? »

192.

Aksel subit les conséquences d'un mauvais comportement dans sa chambre,
et il n'est pas content. Grosse crise, de celles où on tient la porte pendant
que notre fils hystérique crie et frappe comme un déchaîné. Après une accalmie
de quelques secondes, il se remet à frapper sur la porte en criant :

« Tsé maman, Y'A DES ADULTES QUI ONT PAS D'ENFANTS ET QUI SONT TRISTES! »

193.

Nous avons finalement cédé et offert à Romy un hamster,
qu'elle a baptisé Pépito.

Moi, en parlant de l'animal : « Tu sais, pour le temps qu'il lui reste... »

Romy : « Pourquoi tu dis ça ? »

Moi : « Hum... Parce qu'un hamster ça vit entre deux et trois ans. »

Romy : « T'es pas obligé de me le rappeler ! Vraiment pas cool, papa.
Aimerais-tu ça, toi, que je te rappelle tout le temps qu'il te
reste plus beaucoup de temps à vivre ? »

J'ai quand même survécu à la bête. Repose en paix, Pépito (2014-2015).

194.

Moi : « Mangez vos croûtes, ça va faire, le gaspillage! »

Aksel : « Ben t'as juste à les couper, les croûtes, pis on les mettrait
dans le compost, comme ça y en aurait pas, de gaspillage! »

195.

On passe devant un jardin communautaire.

Aksel : « C'est-tu là qu'ils font pousser les vitamines ? »

JAMIE OLIVER

LA CUISINE POUR ENFANTS INGRATS

196.

Romy: « T'es presque comme
Jamie Oliver. »

Moi (un peu fier): « Tu trouves? »

Romy: « Oui. Faudrait juste que tu fasses plus souvent à manger et
que ça soit meilleur. Pis que tu sois un peu plus beau aussi. »

(Pas mal moins fier...)

197.

Après avoir demandé ma blonde en mariage (hé oui!),
je demande à Romy ce qu'elle en pense.

Romy : « Moi, je suis pas tellement pour le mariage,
mais si on y va en limousine, c'est correct. »

198.

J'essaie d'expliquer à Romy pourquoi les gens font une marche pour la paix,
mais mon pessimisme transparaît dans ma voix.

Romy : « Tout va se régler, tu vas voir. Toi, quand tu étais petit, est-ce que ça
existait, des téléphones intelligents que tu pouvais voir les gens dedans ? »

Moi : « Heu... non... Mais c'est quoi le rapport avec la paix dans le monde ? »

Romy : « Y'a des gens qui les ont inventés, les téléphones intelligents, hein ? »

Moi : « Oui... »

Romy : « Ben c'est ça : quand je vais être grande, y'a quelqu'un
qui va avoir inventé la paix dans le monde.
Peut-être même que ça va être moi ! »

199.

Romy et moi, on fait une balade dans le parc. On passe devant
une gang d'ados assis sur des tables à pique-nique.

Romy : « T'as vu, papa ? Ils fument du pot. »

Vu que ma fille a seulement sept ans et que je n'ai pas envie
d'aborder le sujet de la drogue tout de suite, je dis :

« Ben non, ils fument des cigarettes. »

Romy : « Heu, depuis quand les gens lichent
leurs cigarettes avant de les fumer ? »

Me semble que moi, à sept ans, je jouais aux Lego...

200.

Il y a des moments où tu te rends compte que tu es d'une autre génération. Comme quand ta fille est en train de lire un livre et te demande :

Romy : « C'est quoi un magnétoscope, papa ? »

Ça tesse.

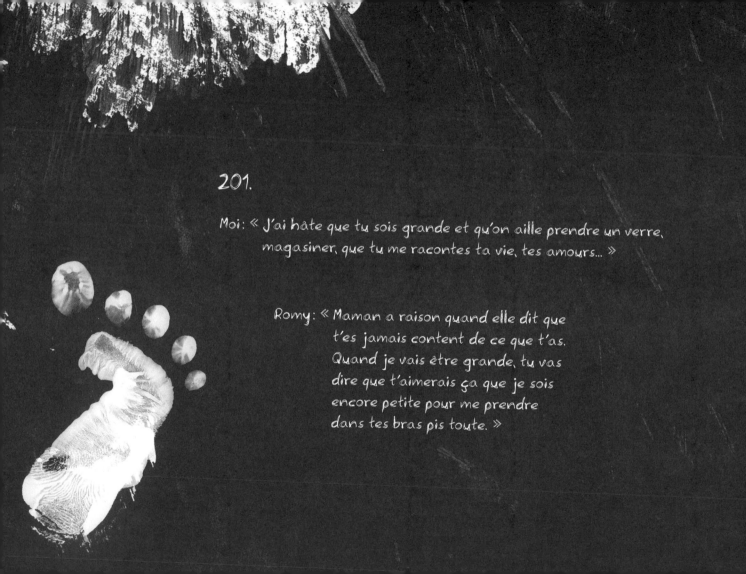

201.

Moi : « J'ai hâte que tu sois grande et qu'on aille prendre un verre,
              magasiner, que tu me racontes ta vie, tes amours... »

Romy : « Maman a raison quand elle dit que
                t'es jamais content de ce que t'as.
                Quand je vais être grande, tu vas
                dire que t'aimerais ça que je sois
                encore petite pour me prendre
                dans tes bras pis toute. »

202.

En allant ranger mon bâton de hockey dans le cabanon, je passe près de Romy et je lui donne deux petites tapes affectueuses sur les fesses avec le bout du bâton.

Romy : « HEILLE! J'ai-tu l'air d'une piñata? »

203.

Romy parle à son amie Béatrice: « C'est bizarre, hein? Y'a pas deux garçons
qui sont amoureux ensemble
à notre école! »

204.

Aksel a été méchant avec son cousin. On le prend à part et on lui demande de réfléchir à son comportement.

Moi : « Comment tu penses que Mathias se sent ? »

Aksel : « Ben je le sais pas, moi, je suis pas Mathias, je suis pas dans son corps. »

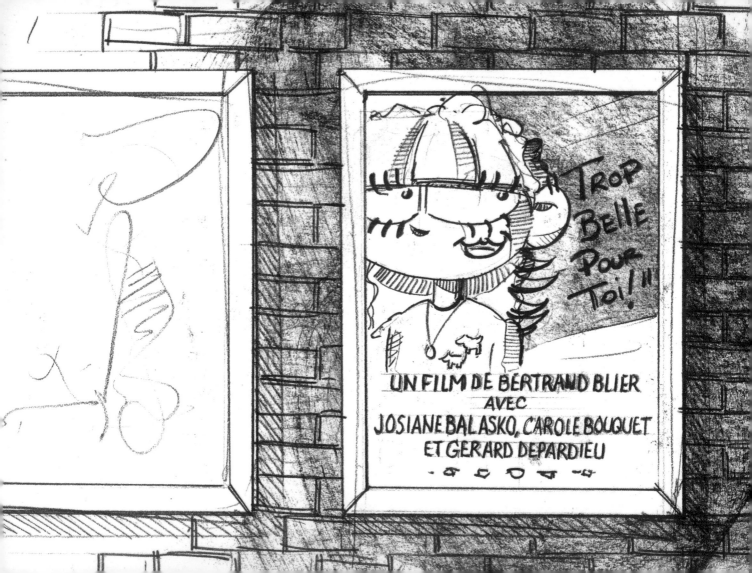

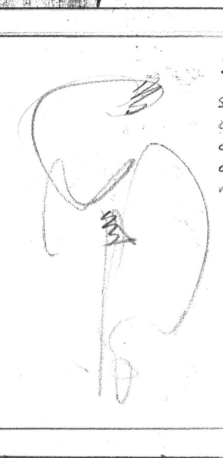

205.

Souper avec des amis et leurs enfants. On joue à un jeu qui consiste à faire deviner à son coéquipier des titres de films, des personnalités connues, etc. Je suis en équipe avec Romy et c'est elle qui me fait deviner. Elle tire la première carte et, sans aucune hésitation me donne son indice : « C'est exactement ce que maman est. »

Moi : « Hein ? »

Je cherche mais n'arrive pas à trouver avant que le délai expire.

Moi : « Alors, c'était quoi ? »

Romy : « *Trop belle pour toi.* »

206.

Aksel chante la chanson des Canadiens de Montréal :

« Bleu, blanc, noir, les Canadiens, les Canadiens! »

Moi : « Pourquoi "noir" ? »

Aksel : « Ben pour P.K. Subban, voyons! »

207.

Aksel: « Le père Noël et la fée des Dents, sais-tu où ils habitent ? »

Moi: « Non, je le sais pas, mon amour. »

Aksel: « Ben moi je sais: ils habitent à Wall Disney! »

208.

Romy : « Qu'est-ce que ça veut dire quand "l'air est lousse" ? »

Moi : « Ça veut dire que papa a été très gentil avec maman. »

209.

Romy : « Papa, pourquoi j'ai l'impression que t'as déjà hâte
que moi et Aksel on aille se coucher ? »

Catalogage avant publication de Bibliothèque et Archives nationales du Québec et Bibliothèque et Archives Canada

LeBlanc, Mathieu, 1975-

Conversations avec Romy et Aksel

ISBN 978-2-89714-144-8

1. Enfants - Citations. 2. LeBlanc, Romy - Citations. 3. LeBlanc, Aksel - Citations. I. Lagarde, Philippe, 1973- . II. LeBlanc, Romy. III. LeBlanc, Aksel. IV. Titre.

PN6328.C5L396 2015   305.233   C2015-941336-2

Vice-président à l'édition : Martin Balthazar
Directrice littéraire : Annie Goulet
Infographiste : Cécilia Boissy
Photographe : Patrice Lamoureux

© 2015, Les Éditions de la Bagnole

ISBN 978-2-89714-144-8

Dépôt légal : 3e trimestre 2015
Bibliothèque et Archives nationales du Québec
Bibliothèque et Archives Canada

LES ÉDITIONS DE LA BAGNOLE
Groupe Ville-Marie Littérature inc.
Une société de Québecor Média
1010, rue De La Gauchetière Est
Montréal (Québec) H2L 2N5
Tél. : 514 523-7993, poste 4201
Téléc. : 514 282-7530
info@leseditionsdelabagnole.com
leseditionsdelabagnole.com

Nous reconnaissons l'aide financière du gouvernement du Canada par l'entremise du Fonds du livre du Canada (FLC) pour nos activités d'édition.

Nous remercions le Conseil des arts du Canada de l'aide accordée à notre programme de publication.

Les Éditions de la Bagnole bénéficient du soutien financier de la Société de développement des entreprises culturelles du Québec (SODEC) pour leur programme d'édition.

Gouvernement du Québec – Programme de crédit d'impôt pour l'édition de livres – Gestion SODEC

Nous remercions les Entreprises Rolland inc. pour leur soutien.

DISTRIBUTION EN AMÉRIQUE DU NORD
Canada et États-Unis
Messageries ADP inc.*
2315, rue de la Province
Longueuil (Québec) J4G 1G4
Pour les commandes : 450 640-1237
messageries-adp.com
*Filiale du Groupe Sogides inc. ;
 filiale de Québecor Média inc.

DISTRIBUTION EN EUROPE
Librairie du Québec/DNM
30, rue Gay-Lussac
75005 Paris
Pour les commandes : 01 43 54 49 02
direction@librairieduquebec.fr
librairieduquebec.fr

Imprimé au Canada